FRENCH BA
Centre for Language Studies and
Applied Linguistics
Canterbury Christ Church University
Canterbury, Kent
CT1 1QU

Cadavre exquis, Tzara, Hugo, Knutsen, Breton

DÉCOUVRONS L'ART ®

Direction éditoriale : Philippe Monsel

Auteur du présent ouvrage :
SERGE FAUCHEREAU

Réalisation :
Coordination éditoriale et secrétariat de rédaction :
  Sylvie Poignet
Conception graphique :
  Catherine Breteau
Fabrication :
  Bernard Champeau
Composition et mise en page : In Folio, Paris
Impression : Grafiche Milani

Crédits photographiques
Cliché Ville de Nantes, Musée des Beaux-Arts, A.G., n° 52
Cliché Musées de la Ville de Paris © by Spadem 1996, n° 6
Galerie Guillermo de Osma, Madrid, n° 58, 59
Galerie Thessa Herold, Paris, frontispice et n°ˢ 61, 63, 67
Kunstsammlung Nordrhein Westfalen, n° 38
Moderna Museet, SKM, Stockholm, n° 1
Musée de l'Abbaye Sainte-Croix, les Sables d'Olonne, n° 65
Photographie Musée national d'art moderne,
  Centre Georges Pompidou, Paris, n° 36, 37, 39, 57
Droits réservés pour les photographies et documents en noir et blanc
Photo x

© 2002 Éditions Cercle d'Art, Paris

Découvrons l'art est une marque déposée par les Éditions Cercle d'Art

ISBN 2-7022 0653-0
ISSN 1254-7605
Imprimé et relié en Italie le troisième trimestre 2002

DÉCOUVRONS L'ART ®

L'autre regard sur l'art

SURRÉALISME

1916   Tristan Tzara lance le premier manifeste dada à Zurich

1917   Breton, Soupault et Aragon se rencontrent grâce à Apollinaire

1924   André Breton publie le *Manifeste du surréalisme*

1935   Première Exposition internationale du surréalisme à Tenerife

1947   La galerie Maeght présente l'exposition "Le surréalisme en 1947"

DÉCOUVRONS L'ART — XXᵉ SIÈCLE

CERCLE D'ART

YVES TANGUY
Sans titre, 1927
Huile sur toile, 61 × 50 cm
Collection particulière

LE SURRÉALISME DANS LE XXᵉ SIÈCLE

Il est surprenant de constater que, dans le langage courant, le qualificatif *surréaliste* puisse parfois s'employer comme synonyme de bizarre, déconcertant, voire absurde. Ce sont là de graves détournements de sens qu'un minimum de connaissance du surréalisme rend inadmissibles car ce mouvement a été l'un des plus riches et, malgré ses provocations, l'un des plus généreux.

LE SURRÉALISME ÉTERNEL

Chaque fois que l'homme a laissé libre cours à son imagination sans s'occuper de vraisemblance, de bon sens ou de réalisme, il a été sur-réaliste. Depuis les temps les plus anciens, les mythologies du monde entier sont peuplées d'êtres tout aussi extraordinaires que les situations avec lesquelles ils sont aux prises. Les tympans des églises romanes grouillent de créatures cauchemardesques, de même que les peintures de Jérôme Bosch (1450-1516) (ci-contre *a*) et de Pieter Bruegel (1525-1569). Les délires contrôlés (gare à la censure royale ou religieuse !) que proposaient leurs interprétations du *Jardin des Délices* ou de la *Tentation de saint Antoine* restent isolés dans l'art de leur temps. Il faudra attendre les débuts du romantisme pour que le rêve et l'imagination prennent le pouvoir dans certains domaines de la pensée et de la création : avec les romantiques allemands, – particulièrement appréciés des surréalistes –, puis grâce aux gravures de l'Anglais visionnaire William Blake (1757-1827) et de l'Espagnol Francisco Goya (1746-1828) (ci-contre *b*). Les poètes Charles Baudelaire et Arthur Rimbaud seront les premiers à élaborer une théorie : un son, un parfum appellent une couleur, une image, et vice versa. A leur suite, les symbolistes affirmeront davantage encore la libre association des images, des couleurs et des idées. Au même moment, l'art nouveau ou modern style ne reculera devant aucune débauche de lignes et de formes. André Breton qui aimait

énumérer les précurseurs a salué notamment Odilon Redon (1840-1916), « mystique à l'état sauvage » comme il se désignait lui-même (ci-contre *c*), et surtout Gustave Moreau (1826-1898), nourri de mythologies anciennes et de fables orientales. Philippe Soupault s'est attaché à William Blake (1757-1827) dont les sujets allégoriques s'inspiraient essentiellement de sources littéraires. Salvador Dali a dit très haut son admiration pour l'architecte catalan Gaudi (1852-1926). Si l'époque symboliste a su s'affranchir du réalisme, c'est cependant au cubisme qu'il revient d'avoir rompu radicalement avec la vision conventionnelle de l'objet, du réel. Lorsque, sous le pinceau de Picasso ou de Braque le sujet éclatait désormais littéralement sur la toile, pour devenir un agencement de lignes et de plans de couleur plus ou moins abstrait, c'était une volonté de représenter l'au-delà des apparences, même si le public non averti voulait n'y voir qu'une mystification.

DADA

Certains successeurs des cubistes sauront bien prendre mesure de l'intérêt et de la force de la provocation. C'est le cas de Marcel Duchamp et de Francis Picabia qui se défiaient de l'art, activité trop ronronnante à leur goût. Dès 1912, Duchamp avait associé dans ses toiles érotisme et éléments mécaniques (nᵒˢ 2,3) ; Picabia le suivra dans cette voie en privilégiant l'humour (nᵒˢ 27-29). Même si Duchamp, Picabia et Man Ray forment déjà un petit groupe à New York dès 1915, c'est à Zurich en 1916 que le mouvement Dada se constitue et trouve son nom – d'après le mot tiré au hasard dans un dictionnaire. L'Europe alentour est à feu et à sang et ces provocations sont largement dues au désespoir général, notamment celui des intellectuels et des créateurs devant la faillite des valeurs qui accompagne l'arrivée de la guerre. Il y a là des poètes, comme le Roumain Tristan Tzara et les Allemands Hugo Ball et Richard Huelenbeck, des

a. Jérôme BOSCH :
Le jardin des Délices
Triptyque, 220 × 195 cm (détail)

b. Francisco GOYA :
Saturne,
vers 1821-1823
Huile sur plâtre,
transposée sur toile,
146 × 83 cm
Musée du Prado, Madrid

c. Odilon REDON :
L'araignée qui sourit, vers 1881
Fusain, 49,5 × 39 cm

d. Marcel DUCHAMP :
La roue de bicyclette, 1913
Ready-made, roue de bicyclette 64,8 cm
sur un tabouret de 60,2 cm de hauteur

e. Giorgio DE CHIRICO :
Portrait de Guillaume Apollinaire, 1914
Huile sur toile, 81,5 × 65 cm

f. Francis PICABIA:
Tableau rastadada, 1920
Collage sur papier, 19 × 17 cm

peintres, comme l'Alsacien Hans Arp qui a fui la conscription, le Roumain Marcel Janco, l'Allemand Hans Richter. Leur défiance envers l'art conventionnel s'exprime de façon particulière : alors que Duchamp pouvait choisir de détourner un objet, tel qu'une roue de bicyclette (ci-contre *d*) ou une pelle à neige pour l'exposer tel quel, comme objet d'art, les dadaïstes («dada ne signifie rien», rappellent-ils sans cesse) s'en remettent plutôt au hasard : Arp découpe ou déchire des papiers qu'il laisse retomber au petit bonheur (n° 7), et Richter peint dans le noir. Dada incarne et reflète si bien son époque qu'il essaime rapidement dans d'autres pays et notamment en Allemagne, à Berlin, où il se lie à l'expressionnisme de George Grosz et Otto Dix, à Hanovre, avec Kurt Schwitters, et surtout à Cologne, avec Max Ernst. Avant même la fin de la Grande Guerre, Dada se lie avec de jeunes poètes et artistes parisiens qui accueilleront Picabia et Tzara lorsque ceux-ci viendront à Paris.

NAISSANCE DU SURRÉALISME

Grand novateur en poésie, défenseur de Rimbaud et grand connaisseur de l'art d'avant-garde, Guillaume Apollinaire mort en 1918 après avoir été grièvement blessé à la guerre, soutenait la démarche novatrice de Picasso et des cubistes, mais aussi celle d'artistes indépendants comme Giorgio De Chirico (ci-contre *e*) et Pierre Roy (n° 52) dont le monde de rêve marquera les débuts du surréalisme. L'œuvre d'Apollinaire sera prolongée et largement dépassée par trois de ses jeunes amis, fascinés par la poésie et la peinture : André Breton, Philippe Soupault et Louis Aragon. Les deux premiers proposèrent en 1919 *Les champs magnétiques,* livre qui marqua la naissance du surréalisme. Écrit en quelques jours, à la plus grande vitesse possible, sans réflexion et en l'absence de tout jugement critique, les images s'y enchaînent sans logique, mais merveilleusement. L'époque ne les entend pas. Alors, sous l'impulsion de Tzara et de Picabia qui apportent le message de Dada à Paris, ils se lancent dans des manifestations qui font scandale : conférences et récitals où on insulte le public, expositions de tableaux qui agressent le visiteur (ci-contre *f* et n° 4). Plusieurs peintres rejoindront Ernst – dont la première exposition parisienne soulève un tollé – parmi ceux qui ne

s'appellent plus dadaïstes, mais surréalistes : Joan Miró, André Masson, Georges Malkine. C'est finalement Breton qui, en 1924, publie le *Manifeste du surréalisme*; y proposant la définition suivante : «Automatisme psychique pur par lequel on se propose d'exprimer, soit verbalement, soit par écrit, soit de toute autre manière, le fonctionnement réel de la pensée. Dictée de la pensée, en l'absence de tout contrôle exercé par la raison, en dehors de toute préoccupation esthétique ou morale.» Cette définition précise peut cependant être étendue à de nombreux secteurs de l'activité intellectuelle.

L'ACTIVITÉ SURRÉALISTE

Hormis certains anciens dadaïstes comme Picabia, Arp, Man Ray, Tzara, c'est plutôt auprès des nouveaux venus que le mouvement de Breton et ses amis trouvera des forces vives : des poètes comme Robert Desnos, Paul Eluard, René Crevel et des peintres comme Yves Tanguy (frontispice, n°s 37-39) et, venus de l'étranger, René Magritte (n°s 45-49) et Salvador Dali (n°s 40-44). Si Man Ray avait remis en cause la photographie, c'est le cinéma qui sera revu et corrigé par Luis Buñuel avec *Un chien andalou* et *L'âge d'or,* films qui attirent les foudres de la censure. C'est que les surréalistes n'entendent pas limiter leur action à l'art et à la littérature. Ils sont très attachés à la défense des libertés individuelles, qu'il s'agisse de sexualité (c'est flagrant chez Masson et Dali) ou de politique comme chez Max Ernst (n° 14). Le culte de la raison et les conventions sociales étant les principaux censeurs de la liberté et de la poésie, ils recherchent tous les moyens d'y échapper, inaugurant alors de nouveaux modes d'expression : écriture ou dessin automatiques, projection de peinture ou de sable (n°s 23, 25), frottage (n°s 11, 12), décalcomanie (n° 59)... Le surréalisme a très vite fait des émules de toutes nationalités : les Roumains Brauner (n°s 65, 66) et Hérold (n° 63), le Tchèque Toyen (n° 64), les Autrichiens Paalen (n° 61); le Canarien Dominguez (n°s 58, 59), les Latino-Américains Tamayo (n° 60), Lam (n° 62) et Matta (n° 67). Certains compagnons de route prestigieux comme Giacometti (n° 57) ou Delvaux (n°s 55, 56) restaient plus ou moins reliés dans leur démarche. Le retentissement du surréalisme fut tel qu'il est encore difficile d'en prendre complètement mesure.

L'UNIVERS SURRÉALISTE

Aucun mouvement n'aura modifié la création intellectuelle et artistique, et jusqu'à notre vie quotidienne, autant que le surréalisme. De Cobra au Pop Art en passant par la Nouvelle Figuration des années 1960-1970 et la Figuration libre des années 1980, tous les mouvements de la deuxième moitié du XXe siècle ont envers le surréalisme une dette qu'ils ne songent d'ailleurs pas à nier.

L'HÉRITAGE SURRÉALISTE

Si le roman ou le montage cinématographique se permettent aujourd'hui de telles libertés avec la logique ou avec la chronologie, c'est au surréalisme qu'ils le doivent – et pas seulement aux cinéastes surréalistes mais aussi à ses poètes et plasticiens. Les cinéphiles savent bien que *Zéro de conduite* de Vigo, *La maison du docteur Edwards* d'Alfred Hitchcock (qui pour l'occasion s'adjoint Dali) ou *L'année dernière à Marienbad* de Resnais et Robbe-Grillet eurent été inconcevables sans le surréalisme. Certaines vitrines de magasins, certaines publicités des magazines ou du métro révèlent les influences directes de Magritte, Dali ou Delvaux, au point de caricaturer parfois leurs images. Quant aux slogans de mai 1968, comme « Sous les pavés, la plage » ; « Il est interdit d'interdire », ils sont pour le moins significatifs d'emprunts surréalistes.

UNE RÉVISION DES VALEURS

L'héritage surréaliste a aussi changé le regard que nous pouvions porter sur notre passé. Par la méthode psychanalytique, le docteur Freud mettait en évidence les motivations inconscientes en œuvre dans tel roman ou telle sculpture. A sa suite, les surréalistes se sont intéressés aux signes et symboles et notamment à ceux liés aux pulsions érotiques (voyez Masson, Dali, Dominguez) ; mais, guidés par un sens très sûr d'une poésie nouvelle à révéler, ils nous ont égale-

ment appris à mieux apprécier des œuvres considérées jusqu'alors comme des bizarreries : ainsi les splendides dessins automatiques de Victor Hugo, les gravures hallucinées de William Blake, les têtes composites (ci-contre *g*) d'Arcimboldo. Plus généralement, les surréalistes ont pulvérisé les clivages hiérarchiques entre «grand art» et art «mineur». Ils ont rappelé avec véhémence que l'art, comme la poésie, n'est pas une profession mais une vocation, née d'une pulsion. De là leur intérêt pour les dessins d'enfants, les œuvres des malades mentaux ou d'amateurs.

DES DÉCOUVERTES ESSENTIELLES

«Le sommeil de la raison engendre des monstres» (ci-contre *h*), écrivait Goya, mais lui-même, pour avoir laissé libre cours à ses rêves et à son imagination, connaissait aussi la fascination qu'ils étaient capables d'exercer. En se soustrayant par divers moyens au contrôle, à la censure de la raison, les surréalistes et, avant eux, les dadaïstes, se sont mis en quête de toute une poésie cachée. Lorsque les poètes Breton, Soupault (ci-contre *i*) et Aragon laissent venir les mots sous leur plume sans réfléchir, lorsqu'ils rêvent tout éveillés et comme somnambules au milieu du spectacle des rues, ils ouvrent un chemin où vont s'engager, chacun à sa façon maints artistes. C'est ainsi que par le *fumage*, Wolfgang Paalen (n° 61) suit les traces capricieuses laissées par le noir de fumée sur sa toile. Par la décalcomanie, Oscar Dominguez (n° 59) fait naître des formes fantomatiques assez proches de celles que, par *solarisation*, Man Ray obtient sur certaines photographies (n° 36). On sait qu'avant d'être exploités par Cobra et plus récemment par d'autres peintres, les tracés et les taches de hasard d'un Masson (n° 25) et d'un Ernst (n° 13) ont été décisifs pour Jackson Pollock, Arshile Gorky puis les peintres tachistes. Ce sont Duchamp et les surréalistes qui nous ont montré combien un objet usuel très banal peut être troublant si on y porte un regard particulier.

g. Giuseppe ARCIMBOLDO :
L'automne, 1673
Huile sur toile, 76 × 63,5 cm

h. Francisco GOYA :
*Le sommeil de la raison
engendre des monstres,* vers 1796

i. Victor BRAUNER :
Portrait de Philippe Soupault, 1946

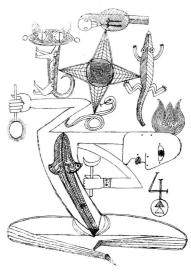

LES ACTEURS DU SURRÉALISME

j. Hans Arp dans son atelier
Photo E. Weill

k. Couverture de la revue *Time*
avec un *Portrait de Dali* par Man Ray

l. Portrait de Max Ernst

ARP Jean ou Hans (1886-1966) Peintre, sculpteur et poète, d'origine strasbourgeoise, Arp s'est fait connaître à Zurich comme l'un des principaux dadaïstes. Il a par la suite adhéré au surréalisme.

BRAUNER Victor (1903-1966) Fut l'un des fondateurs du mouvement surréaliste en Roumanie après un premier voyage à Paris en 1925. Après un nouveau séjour à Paris de 1930 à 1934, il s'y fixera définitivement en 1937, adhérant au groupe surréaliste avec lequel il rompra en 1949.

DE CHIRICO Giorgio (1888-1978) Ce peintre italien a commencé en 1910 à peindre des œuvres dites «métaphysiques» pour lesquelles les surréalistes lui voueront une grande admiration. En 1925, ils dénonceront comme une trahison la nouvelle manière plus traditionnelle adoptée par le peintre.

DALI Salvador (1904-1989) Catalan, ami de Buñuel et de Garcia-Lorca, il est certainement la figure la plus connue et la plus controversée du surréalisme. Sa période proprement surréaliste (1929-1939) a cependant été capitale pour le mouvement. Par la suite, son art s'est trop souvent dilué dans des entreprises où exhibitionnisme et mercantilisme avaient trop de part.

DELVAUX Paul (1897-1994) Toute sa longue carrière s'est déroulée en Belgique. D'abord expressionniste, il est devenu surréaliste vers 1934 après avoir vu une œuvre de Chirico. Très indépendant, il a parfois exposé aux côtés des surréalistes.

DOMINGUEZ Oscar (1906-1957) Il s'est considéré comme surréaliste dès sa première exposition dans son île natale de Tenerife en 1933. En 1935, il a appliqué à l'art la technique de la décalcomanie. Doué mais versatile et miné par le doute, il s'est suicidé.

DUCHAMP Marcel (1887-1968) Après de brillants débuts cubistes, il a exposé des objets manufacturés *(ready mades)* puis, introduisant l'esprit Dada à New York, il s'est consacré à son *Grand verre*. Ayant renoncé à l'art en 1923, il n'en est pas moins resté l'éminence grise du mouvement surréaliste, sans y adhérer.

ERNST Max (1891-1976) Principal artiste du mouvement dada à Cologne, vers 1920, il entre très vite en relation avec les futurs surréalistes à Paris où il finit par se fixer. En fait, cet Allemand a surtout vécu en France, hormis une décennie aux Etats-Unis où la guerre l'avait conduit (1941-1953). L'esprit surréaliste ne s'est jamais démenti dans son œuvre.

GIACOMETTI Alberto (1901-1966) Suisse, il s'est fixé à Paris en 1922. D'abord influencé par le cubisme et l'art primitif, il rejoint les surréalistes, que ses sculptures impressionnent. Il rompt avec eux en 1934 et retourne au modèle.

HEROLD Jacques (1910-1987) Il fait partie des nombreux artistes roumains qui, de Brauner à Perahim, ont adopté le surréalisme et Paris, où il s'est fixé en 1930. Introduit par Tanguy auprès des surréalistes parisiens, il est resté lié à eux.

LAM Wifredo (1902-1982) Natif de Cuba, il a étudié à Madrid. Après son engagement aux côtés des républicains espagnols, il est venu à Paris. Il y a rencontré Picasso et les surréalistes auxquels il gardera son amitié. Après avoir vécu à Cuba de 1942 à 1952, il a travaillé tantôt à New York, tantôt à Paris et à Albisola.

MAGRITTE René (1898-1967)   D'abord influencé par le futurisme, il devient surréaliste sous l'influence de De Chirico. Avec ses amis belges Paul Nougé, Marcel Lecomte et Camille Goemans, il fonde le groupe surréaliste de Bruxelles. Malgré l'accueil enthousiaste des surréalistes à Paris (1927-1930), il retournera en Belgique, définitivement.

MAN RAY (1890-1976)   Photographe, cinéaste expérimental et peintre, cet Américain a été l'un des protagonistes de dada à New York avant de s'installer à Paris où il sera actif dans le mouvement surréaliste. Il a vécu en Californie de 1940 à 1951.

m. Man RAY :
Autoportrait, 1934

MASSON André (1896-1987)   D'abord proche des cubistes, il rencontre Georges Limbour, Joan Miró et Michel Leiris en 1921-1922 puis adhère au surréalisme où ses expériences automatiques lui assurent une place importante. Il rompt avec le mouvement en 1943, mais son œuvre restera fondamentalement surréaliste.

MATTA Roberto Echaurren (1911)   C'est par l'intermédiaire de Dali et Garcia Lorca qu'il découvre le surréalisme. Il rejoint le mouvement en 1938 et y prend une place de premier plan pendant la guerre, parmi les exilés européens à New York. Il est la dernière grande figure de l'art surréaliste.

MIRÓ Joan (1893-1983)   Il quitte sa ville natale, Barcelone, pour Paris en 1921 où il voisine avec Masson. Il se forge un style personnel où le surréalisme se reconnaît d'emblée. La guerre le ramène en Espagne en 1941 ; il y poursuivra son œuvre sans jamais perdre une démarche surréaliste.

PAALEN Wolfgang (1905-1959)   Viennois, il se fixe à Paris en 1928. D'abord abstrait, il rejoint les surréalistes en 1936. Il invente le fumage en 1937. Exilé au Mexique en 1939, il y restera jusqu'à sa mort, par suicide.

PAPAZOFF Georges (1894-1972)   Bulgare d'origine, il se fixe en France en 1924 et se lie avec des artistes comme Pascin, Derain et Dardel. Indépendant, il ne rejoint pas les surréalistes mais ses recherches voisines le conduisent à exposer parfois parmi eux.

n. Portrait d'André Masson, 1967
Photo Studio Lorelle

PICABIA Francis (1879-1953)   Tempérament capricieux et provocant, il est impressionniste avant de devenir le plus en vue des dadaïstes à New York avec son ami Duchamp, puis à Paris. Les surréalistes s'enthousiasment puis se séparent de lui qui continuera ses expériences plus ou moins novatrices.

PICASSO Pablo (1881-1973)   Natif de Malaga, il débute à Barcelone puis se fixe à Paris définitivement en 1904. Libre et inventif, le père du cubisme séduit les surréalistes qui ne parviennent pas à l'agréger à leur mouvement. Proche d'eux au début des années trente, il ne cessera de les fasciner.

ROY Pierre (1880-1950)   Encouragé par Apollinaire, il est proche de De Chirico. Avec ses perspectives et trompe-l'œil insolites qui séduisent Aragon et Soupault, il participe aux premières expositions des surréalistes puis s'écarte d'eux pour poursuivre son œuvre hors de tout mouvement.

o. MAN RAY :
Portrait de Tanguy, 1934

SCHWITTERS Kurt (1887-1948)   Ce peintre, sculpteur et poète allemand a été cubiste et expressionniste avant de découvrir son propre style dadaïste qu'il nomme Merz, fondé sur l'assemblage d'objets trouvés. Il réalisa l'essentiel de son œuvre à Hanovre mais finit sa vie en Angleterre où il s'exila.

TAMAYO Rufino (1899-1991)   En désaccord avec l'engagement politique qui marque la peinture murale de ses collègues mexicains, il se forgera un style propre dont l'originalité frappera Octavio Paz, Benjamin Péret, Paalen et Breton qui préfacera son exposition parisienne de 1950.

TANGUY Yves (1900-1955)   En 1923, une toile de Chirico le décide à devenir peintre. Il se lie au mouvement surréaliste et, même après son départ pour les États-Unis en 1934, y restera fidèle.

TOYEN Marie Cerminova (1902-1980)   Venue de Prague avec Jindrich Styrsky, elle séjourne à Paris de 1925 à 1929 et y expose des œuvres dites «artificialistes» que présente Soupault en 1927. En 1934, ils fondent avec V. Nezval et K. Teige le groupe surréaliste tchèque. Styrsky meurt en 1942. En 1947, Toyen se fixe à Paris.

SUGGESTIONS BIBLIOGRAPHIQUES

Roland Penrose, *80 ans de surréalisme*, Cercle d'Art, 1983
A. Biro et René Passeron, *Dictionnaire général du surréalisme*, Flammarion, 1982
Edouard Jaguer, *Les mystères de la chambre noire : photographie surréaliste*, Flammarion, 1982
S. Fauchereau, *Expressionnisme, dada, surréalisme*, Denoël, 1976
Frantisek Smejkal, *Le dessin surréaliste*, Cercle d'Art, 1974
André Breton, *Le surréalisme et la peinture*, Gallimard, 1965
Marcel Jean, *Histoire de la peinture surréaliste*, Le Seuil, 1959

1. Giorgio DE CHIRICO
Le cerveau de l'enfant, 1914
Huile sur toile, 80 × 63 cm
Moderna Museet, Stockholm

1

DADA

Si le cubisme fut la grande révolution plastique du début de ce siècle, les tableaux calmes mais très troublants de De Chirico, proposaient une tout autre nouveauté que l'on pourrait définir comme « le point de vue du rêveur ». André Breton mettait en garde : à ne pas tenir compte de De Chirico « on manquerait de base historique pour comprendre tout le sens et toute la portée de la revendication surréaliste dans le domaine plastique. » L'attitude de Breton témoigne que le surréalisme a toujours eu soin de désigner lui-même les précurseurs qu'il se reconnaissait, c'est-à-dire principalement Marcel Duchamp et Giorgio De Chirico. Ce n'est pourtant pas l'art discret de De Chirico qui entraîna ce bouleversement esthé-

tique et social réclamé par le surréalisme ; il fallait auparavant bousculer la tradition artistique et son public. Cela se fera négativement, par la dérision et le scandale, et dada naîtra à Zurich, en pleine guerre, en 1916 — son nom ayant été tiré au hasard dans un dictionnaire. En proposant des œuvres « mécanistes » qui assimilaient l'être humain sexué à une machine, Duchamp et Picabia provoquaient un public mécontent de se voir traité comme un objet. Et Picabia prévenait que ce jeu n'était pas gratuit.
« L'art n'est pas sérieux », criait Tristan Tzara à Zurich, ou encore : « Fait-on l'art pour caresser les gentils bourgeois ? » Avec une ostensible désinvolture, l'artiste s'en remettait au hasard (n° 7), réunissait des éléments

d'images « en dépit du bon sens » (n° 6), ou bien constituait des collages ou des assemblages à partir d'objets trouvés ou de déchets. Il y entrait certes de l'humour et de la provocation, mais aussi une sérieuse contestation de la sacro-sainte personnalité de l'artiste et de sa sensibilité qui convaincra même à l'étranger où Dada gagnera des sympathies. Au lieu de se tourner vers l'artiste, c'est vers l'œuvre elle-même que l'attention doit se porter, même si celle-ci semble se jouer de celui qui la regarde. Pendant deux ou trois ans, Paris retentira ainsi des scandales des dadaïstes : les expositions de Picabia, Man Ray, Max Ernst, déclenchent de beaux tapages, et le public perturbé réclame des sanctions contre les poètes dont les manifestes l'insultent.

2. MARCEL DUCHAMP
Mariée, 1912
Huile sur toile,
59,4 × 54 cm
The Museum of Modern Art,
New York

3. MARCEL DUCHAMP
La mariée mise à nu par ses célibataires, même, 1923
Huile, feuille de plomb, fil de plomb, poussière et vernis sur deux plaques
de verre (brisées) montées entre deux autres plaques de verre et un cadre
en bois et acier, 272,5 × 175,8 cm
Philadelphia Museum of Art, Collection Louise et Walter Arensberg

D'abondants commentaires de cette œuvre majeure
du XXᵉ siècle sont proposés dans l'ouvrage *Duchamp,*
collection Découvrons l'art, Éditions Cercle d'Art, 1995

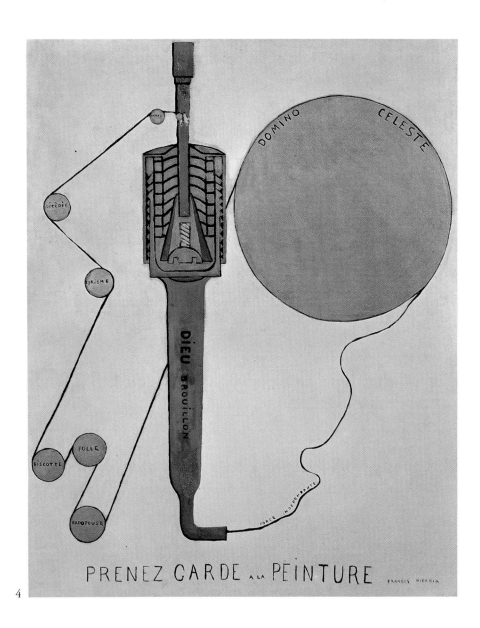

4. FRANCIS PICABIA
Prenez garde à la peinture, 1917
Huile, émail et peinture métallisée sur toile, 91 × 373 cm
Moderna Museet, Stockholm   4

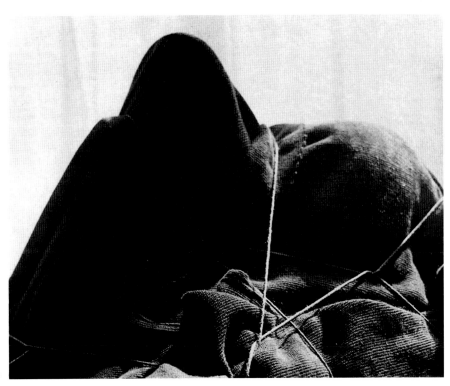

5. MAN RAY   5
L'énigme d'Isidore Ducasse, 1920

6. Kurt Schwitters
Miroir-collage, 1920-1922
Collage, 26 × 12,5 cm
Musée d'Art moderne
de la ville de Paris

7. Hans Arp
Selon les lois du hasard, 1916
Collage, 26 × 12,5 cm
Kunstmuseum, Bâle

8

A travers Dada s'exprimaient de petits groupes de poètes et d'artistes mais aussi des individus isolés. Ainsi l'Allemand Kurt Schwitters a-t-il d'abord travaillé seul à Hanovre avant de se lier d'amitié avec Arp et Ernst. Schwitters réalisait ses œuvres en assemblant des objets tout à fait banals trouvés au hasard de ses promenades : feuilles, tickets, journaux usagés, fragments de bois, de céramique, etc. D'où ce très étrange miroir rassemblant des trouvailles hasardeuses (n° 6).
Le hasard est une grande ressource de nouveauté et de surprises pour la plupart des artistes dadaïstes : Arp découpe des papiers de couleur de tailles diverses puis les laisse retomber aléatoirement sur une surface où il les fixe (n° 7). Max Ernst procède de même avec des images de catalogues de mode et de quincaillerie qu'il dispose sur une feuille aquarellée sans rechercher de sens. L'artiste dadaïste ne se soucie guère que son œuvre soit abstraite (n°s 7-8) ou figurative. Ainsi *Aquis submersus* (n° 10) est-il dans la lignée de De Chirico.

9

9. MAX ERNST
Frau Wirtin, v. 1920
Collage avec gouache et aquarelle sur papier, 25 × 31,5 cm
Coll. part. Stuttgart, prêt permanent à la Staatgalerie, Stuttgart

    Le papier collé, le collage ne sont pas des inventions surréalistes
mais cubistes puisqu'ils sont apparus en 1912 avec Braque
et Picasso. A l'apparition des collages de Max Ernst, Aragon
a aussitôt compris qu'il s'agissait d'autre chose : alors que chez
les cubistes «les papiers de couleur découpés par le peintre remplacent
pour lui la couleur et la couleur seulement [...] chez Max Ernst,
il en va tout autrement [...] Le collage devient ici un procédé
poétique, parfaitement opposable dans ses fins au collage cubiste
dont l'intention est purement réaliste. »

10. MAX ERNST
Aquis submersus, 1919
Huile sur toile, 54 × 43,8 cm
Coll. Roland Penrose, Londres

De ses antécédents dadaïstes mais aussi dans la mesure où il veut agacer les sens et mettre en question les opinions du regardeur, le surréalisme gardera toujours un certain goût de la provocation. Or, ajouter comme Duchamp des moustaches à une reproduction de *La Joconde* ou exposer une roue de bicyclette ou comme Picabia composer des fleurs avec des macaronis (n° 29), c'est d'abord prendre ses distances avec la tradition et surtout transgresser les limites entre « ce qui se fait » et « ce qui ne se fait pas ». Du reste, ni Arp, ni Miró ne sont fondamentalement provocants; ce sont des tempéraments aimables dont l'arme est plutôt l'humour. Car après la violence destructrice de Dada, le surréalisme se veut au contraire constructif et explorateur.

Mais, conscients que l'éducation et les conventions sociales briment l'expression poétique et la faculté de rêver présente chez tout individu, les surréalistes vont systématiquement explorer les moyens d'échapper à toutes les formes de censure et même d'autocensure et découvriront qu'ils sont essentiellement fondés sur l'automatisme et le hasard (voyez Masson), sur l'intervention perturbant un processus normal (solarisation de Man Ray). Persuadés que l'artiste ne doit intervenir que par une action minimale, ils lui reconnaissent cependant un rôle, celui d'*aider* le hasard à accoucher d'images secrètes : ainsi les frottages de Max Ernst sont-ils proches de l'objet trouvé cher aux dadaïstes. Dans tous les cas, loin de poser à l'esthète, au technicien habile, l'artiste se situe volontairement en retrait, comme si l'œuvre avait jailli d'elle-même, comme s'il n'était qu'un *médium* passif par lequel passe la *révélation* (certains surréalistes comme Breton ou Brauner aiment ce vocabulaire emprunté aux sciences occultes).

11

11. MAX ERNST
Sans titre, 1925
Frottage, crayon sur papier, 43,2 × 25,8 cm

Le « frottage » est obtenu en passant une mine de plomb sur une feuille de papier posée sur un objet au léger relief (feuille végétale, planche de bois aux rainures marquées, tissu, etc.). Pour Max Ernst, son intérêt réside dans la disparition du « caractère de la matière interrogée (le bois par exemple) pour prendre l'aspect d'images d'une précision inespérée. » Il s'agit bien sûr d'un procédé très ancien, mais Max Ernst y a recours de façon à faire surgir des scènes et des êtres visionnaires. »

12. MAX ERNST
Deux sœurs, 1926
Huile sur toile et frottage à la mine de plomb,
100,3 × 73 cm
Fondation de Menil, Houston

13

13. MAX ERNST
Fleurs de coquillages, 1929
Huile sur toile, 129 × 129 cm
Musée national d'art moderne, Paris

En écrasant la peinture sur la toile avec un couteau auquel
il imprime un mouvement tournant, Max Ernst fait naître une flore
fantastique. Ailleurs des monstres surgissent de taches de couleur
– mais le peintre allemand a des arrière-pensées assez claires : on sait,
on savait en 1935 quels barbares (n° 14) s'apprêtaient à marcher vers l'ouest.

14

14. MAX ERNST
Barbares marchant vers l'ouest, 1935
Huile sur papier, 24 × 32 cm
Coll. particulière, New York

15. MAX ERNST
Collage pour une semaine de bonté, 1934
19,2 × 13,5 cm

A partir d'anciennes gravures et de catalogues
illustrés, Max Ernst a découpé et confectionné
des images de sa façon qu'il a assemblées en séries.
Il a ainsi constitué plusieurs livres de «romans-collages»
dont *Une semaine de bonté,* paru en 1934 est le plus
célèbre. La page qu'on en reproduit ci-contre évoque
les contes de fées – contes de fées pour adultes
ayant gardé une imagination d'enfant.

15

16

16. JOAN MIRÓ
La fermière, 1922-1923
Huile sur toile, 81 × 65 cm
Coll. Mme Duchamp, Fontainebleau

17. JOAN MIRÓ
Portrait de Madame K., 1924
Huile sur toile, 115 × 89 cm
Coll. M. René Gaffé, Cannes

17

18. JOAN MIRÓ
Nature morte au vieux soulier, 1937
Huile sur toile, 81 × 116 cm
The Museum of Modern Art, New York

18

19

20

André Breton releva à propos des *Constellations,* qu'il lui avait semblé que «Miro avait voulu déployer, dans l'éventail de toutes les séductions, le plein registre de sa voix.» En vérité, le peintre laisse rêver sa main ou son pinceau et venir à lui des mondes inouïs où le réel est revu et corrigé au gré d'une très grande liberté.

21. ANDRÉ MASSON
Les quatre éléments, 1923-1924
Huile sur toile, 73 × 60 cm
Musée national d'art moderne, Paris

22

22. Andr Masson
L'armure, 1925
Huile sur toile, 81 × 54 cm
The Peggy Guggenheim Foundation, Venise

23. André Masson
Chevaux morts, 1927
Huile et sable sur toile, 46 × 55 cm
Musée national d'art moderne, Paris

« Pas de fantasme ni de fantastique,
le jet de sable est une action physique,
écrit Bernard Noël... Ici, c'est le regard
qui rebondit et qui, chaque fois
distingue dans les variations
de la surface un appel de forme. »
Comme Max Ernst dans ses frottages,
Masson se laisse suggérer des formes
par les traces de sable, sans se soucier
si ce qui apparaît est ou non
reconnaissable.

23

24. André Masson
Les moissonneurs andalous, 1935
Huile sur toile, 89 × 116 cm
Galerie Louise Leiris, Paris

24

25. Andre Masson
Enchevêtrements, 1941
Tempera et sable sur bristol, 41 × 32 cm
Musée national d'art moderne, Paris

L'automatisme est ici *gestuel* avant toute chose :
très rapidement le peintre trace des entrelacs
dynamiques sans souci de figurer quoi que ce soit.
C'est une leçon dont sauront se souvenir
Jackson Pollock et les peintres américains
de l'Action Painting.

25

26. Andre Masson
Nuits fertiles, 1960
Tempera et huile sur toile, 114 × 146 cm
Collection particulière

26

27. FRANCIS PICABIA
Les Tropiques, vers 1924-1926
Ripolin sur carton, 105,5 × 75,5 cm

28. FRANCIS PICABIA
Psi, 1930
Huile sur toile, 100 × 81 cm

29. FRANCIS PICABIA
Plumes, vers 1925
Collage de plumes, macaronis, roseaux, morceaux de bois
et emplâtres pour cors aux pieds sur toile, 119 × 78 cm

27

28

29

30. Hans Arp
Homme, moustache et nombril, 1928
Aquarelle, 64 × 63,8 cm
Fondation Arp, Clamart

Tout en appartenant au groupe surréaliste,
Arp a gardé des principes d'indépendance
plus propres à dada. De même l'humour
et le hasard qui fondent son art restent dans
la continuité de sa période dadaïste : l'artiste
dessine ou modèle avant de se demander
ce que c'est, tandis que les analogies
de formes lui fournissent un titre fantaisiste.

30

31. Hans Arp
Fruit d'une main, 1927-1928
Bois peint, 55 × 88 × 20 cm
Kunsthaus, Zurich

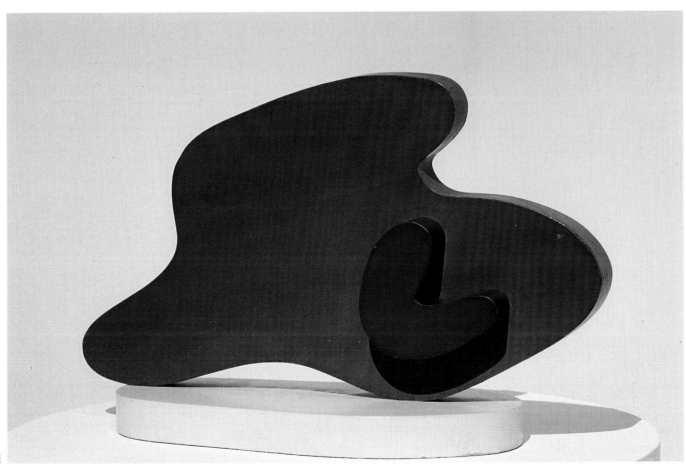

31

33. Hans Arp
Nu aux bourgeons, 1961
Bronze, 188 × 32 × 30,5 cm
Galerie Denise René

Arp façonne une forme dont les arrondis
rappellent des bourgeons de fleurs et des éléments
du corps humain. Pour lui, comme pour tout
surréaliste, ces deux registres ne sont pas
inconciliables : sa sculpture est un *Nu aux bourgeons.*
Mais le calme et souriant Arp ne se contente
pas de construire, il lui arrive aussi de déchirer
des œuvres préexistantes (les siennes et celles
de son épouse Sophie Taüber) mais c'est afin d'en tirer
une œuvre nouvelle où l'irrégularité des déchirures
jette un certain trouble chez le spectateur.

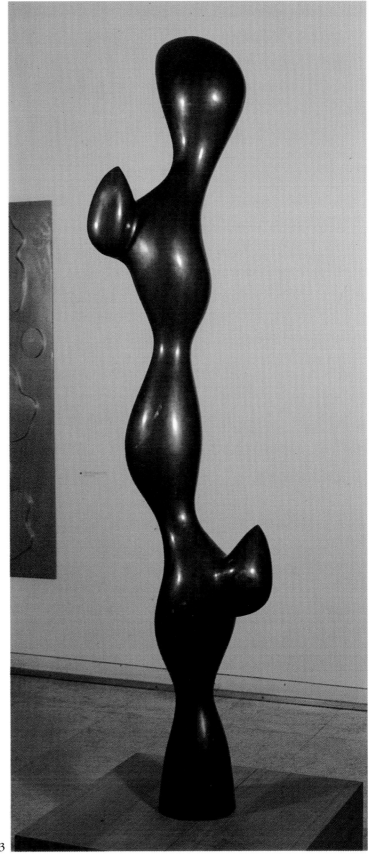

32. Hans Arp
Collage de Grasse, 1941-1942
Photo déchirée et gouache, 34,5 × 24,5 cm
Fondation Arp, Clamart

33

34

34. MAN RAY
Cactus, 1946
Huile sur toile
Ancienne collection Penrose

36. MAN RAY
Autoportrait solarisé, 1934
Musée national d'art moderne, Paris

Les cordes sont des fils
électriques qui relient aux deux
interrupteurs les deux clés
de la crosse de la contrebasse.
La solarisation permet d'improviser
certains effets graphiques
(inversion des valeurs claires
et foncées, lisérés cernant les formes…)
par l'insolation de la surface
sensible au cours du développement.

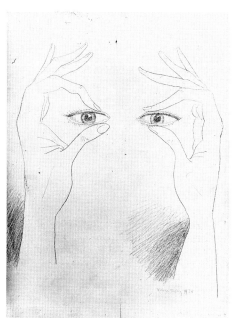

35. MAN RAY
Sans titre, 1938
Dessin à la pointe d'argent

35

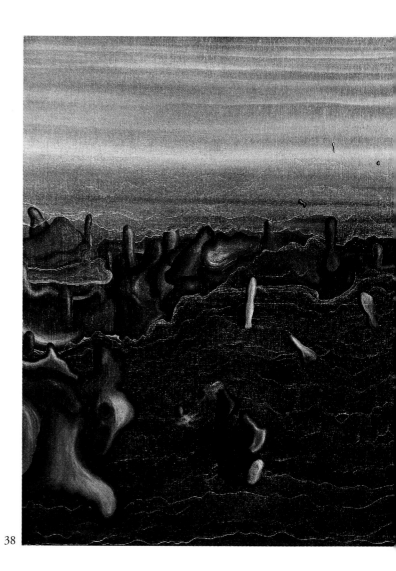

37   38

37. YVES TANGUY
Jour de lenteur
Huile sur toile, 92 × 73 cm
Musée national d'art moderne, Paris

38. YVES TANGUY
Le jardin sombre, 1928
Huile sur toile, 91,4 × 71,1 cm
Kunstsammlung Nordrhein-Westfalen
Düsseldorf

DE GRANDS RÊVEURS

« Maintenant, le rêve, à la lueur du surréalisme, s'éclaire et prend sa signification », écrivait Aragon en 1924 dans *Une vague de rêves*. La puissance du rêve où s'exprime librement l'inconscient, les romantiques allemands l'avaient en leur temps pressentie. Puis à la fin du XIXe siècle, Sigmund Freud l'avait étudiée en médecin et en avait tiré les théories et pratiques de la psychanalyse. Tout cela n'étant réservé qu'à quelques initiés, il revenait aux surréalistes, qui n'en ignoraient rien, de le mettre à la portée du plus grand nombre.

Si le rêve et l'exploration de l'inconscient sont pour eux fondamentaux, on aurait tort de croire que les surréalistes se contentent de retranscrire des rêves sur le papier ou la toile. Pour un surréaliste, le rêve doit guider l'activité de veille. C'est effectivement à partir de l'atmosphère et de certains phénomènes propres au rêve (intemporalité, variation d'identité des objets et des êtres,

symbolisme sexuel, etc.) qu'un Dali crée ses tableaux – et ce ne sont pas des rêves, mais des tableaux et, en quelque sorte, des machines à rêver pour émouvoir le spectateur. L'apparence spectrale des tableaux de Tanguy ne tient pas moins du rêve que d'une sorte de vie indéfinie et comme sous-marine. Les éléments peints par Magritte, par contre, sont clairement définis, mais ce qui jette le trouble dans l'esprit du spectateur, c'est la manière dont, toujours comme dans un rêve, ils sont assemblés de façon insolite ou bien altérés dans leur forme et leur échelle au point de suggérer une inquiétante duplicité.

Plus que d'autres, ces peintres témoignent selon André Breton, de la nécessité « d'assurer l'échange constant qui doit se produire dans la pensée entre le monde extérieur et le monde intérieur, échange qui nécessite l'interpénétration continue de l'activité de veille et de l'activité de sommeil. »

39. YVES TANGUY
Le palais aux rochers de fenêtres, 1942
Huile sur toile, 163 × 132 cm
Musée national d'art moderne, Paris

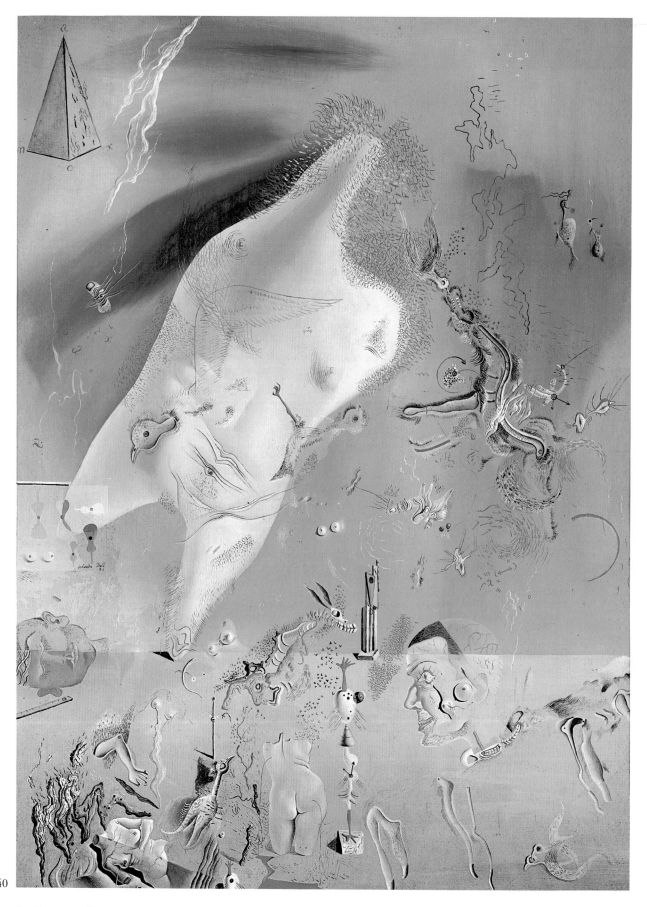

40

40. SALVADOR DALI
Senicitas, 1926-1927
Huile sur bois, 63 × 47 cm
Museo Espanol de Arte Contemporaneo, Madrid

41. SALVADOR DALI
Portrait de Paul Eluard, 1929
Huile sur carton, 33 × 25 cm
Coll. particulière

42. Salvador Dali
Méditation sur la harpe, 1932-1934
Huile sur toile, 67 × 47 cm
Musée Dali de Saint Petersbourg, Floride

Salvador Dali se réclame du rêve et du délire. Ses visions
volontiers morbides et d'un érotisme insistant retrouvent
les grands mythes de notre civilisation et de notre art (notons qu'ici
l'homme debout renvoie au célèbre tableau de l'*Angélus* de Millet).
« Innovateur, rénovateur, Dali a renoué avec les grandes traditions,
avec les grands mythes », notait René Crevel. En ce sens, Dali n'est
pas seulement *traditionnel* dans sa technique picturale ; en dépit des
apparences, il l'est dans le regard perçant qu'il porte sur le monde.

43. SALVADOR DALI
Spectre de l'après-midi, 1930
Huile sur toile, 46 × 54 cm
San Diego Museum of Art,
San Diego

44. SALVADOR DALI
Le sommeil, 1937
Huile sur toile, 50 × 77 cm
Coll. Edward F.W. James, Sussex

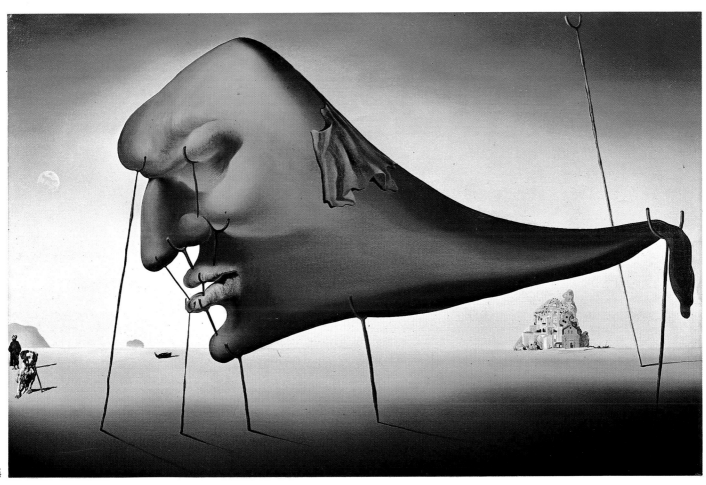

44

45

45. RENÉ MAGRITTE
L'oasis, 1925-1927
Huile sur toile, 75 × 65 cm
Coll. Mme J. Van Parys, Bruxelles

46. RENÉ MAGRITTE
Passiflore, 1936
Huile sur toile, 45 × 55 cm
Coll. M. et Mme Louis Scutenaire, Bruxelles

Il est fréquent, dans les tableaux de Magritte, d'y découvrir
les objets en des situations incongrues, telles que seul le rêve
le permet. Mais le peintre lui-même a toujours insisté que sa peinture
n'était en rien automatique : «Je veille à ne peindre que des images
qui évoquent le mystère du monde. Pour que ce soit possible,
je dois être bien éveillé.»

47. René Magritte
Méditation, 1937
Huile sur toile, 34 × 39 cm
Coll. Fondation Adward James, Chichester, Sussex

48

48. RENÉ MAGRITTE
Les marches de l'été, 1938
Huile sur toile, 60 × 73 cm
Collection particulière, Paris

49

49. RENÉ MAGRITTE
Le prêtre marié, 1950
Huile sur toile, 46 × 58 cm
Collection René Magritte, Bruxelles

    Certains observateurs attentifs se sont parfois demandé si tout
le travail de Magritte ne consistait pas à nous faire voir les objets
que leur présence permanente dans la vie quotidienne a rendus
invisibles. En les isolant, en leur ajoutant un masque, voici qu'à
nouveau deux simples pommes redeviennent merveilleuses. Son
ami Louis Scutenaire écrivait à ce propos : « Il n'étudie pas les objets,
il les utilise. Il ne les représente pas, il les donne en représentation. »

50. RENÉ MAGRITTE
Un peu de l'âme des bandits, 1960
Huile sur toile, 65 × 50 cm
Coll. particulière

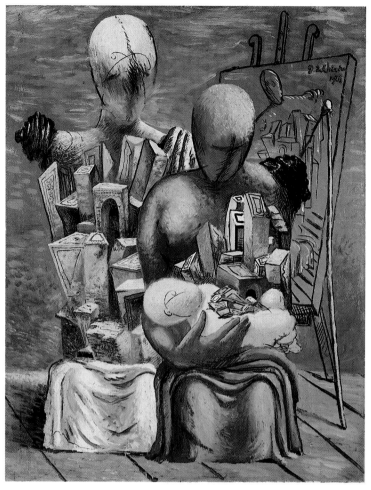

51. Giorgio De Chirico
La famille du peintre, 1926
Huile sur toile, 146,5 × 115 cm
Tate Gallery, Londres

51

EN MARGE DU SURRÉALISME

A ses débuts, le mouvement surréaliste a essayé de se concilier la collaboration d'aînés admirés et qui avaient contribué à sa naissance : Giorgio De Chirico, Pierre Roy, Marcel Duchamp, Francis Picabia. Mais la différence de génération était telle qu'une entente était difficile. Certains se sont tenus à l'écart avec une certaine sympathie comme Picasso et Duchamp; d'autres comme Picabia et De Chirico, n'ont brièvement intégré le groupe surréaliste que pour s'en séparer avec fracas. Ce qui ne les empêchait d'ailleurs pas d'en subir une certaine influence : c'est grâce au surréalisme que De Chirico a pu renouveler sa « peinture métaphysique » d'avant la Grande Guerre et que Picasso, à l'intelligence toujours en éveil, a su concilier les acquis du cubisme avec les images de l'inconscient que prisait l'entre-deux-guerres. Cependant, le fait qu'André Breton ait voulu organiser le surréalisme en mouvement structuré et animé d'une discipline de groupe n'était pas pour plaire à tous les tempéraments.

C'est pourquoi certains peintres comme Georges Papazoff ou Paul Delvaux se contentèrent de relations assez distantes avec le mouvement, tandis que d'autres y adhérèrent mais seulement durant une période particulière de leur évolution, comme Alberto Giacometti pendant les années trente. Quoi qu'il en soit, le surréalisme ne saurait être réduit à une liste officielle d'adhérents agréés par le groupe; c'est avant tout *un état d'esprit* qui a affecté toute une génération et même davantage, une proposition pour envisager d'une autre manière le monde et la position que l'homme y occupe.

52

52. PIERRE ROY
Adrienne pêcheuse, 1919
Huile sur toile, 52 × 35 cm
Musée des Beaux-Arts, Nantes

Découvert en 1913 par Apollinaire, ami de Chirico,
Pierre Roy a participé aux premières expositions des surréalistes
que ses perspectives insolites séduisaient. Il s'en est éloigné
vers1928 pour suivre seul sa propre voie.

53

53. GEORGES PAPAZOFF
Chiens de cirque, 1930
Huile sur toile, 73 × 100 cm
Coll. Oscar Ghez

54. PABLO PICASSO
Baigneuse jouant au ballon, 1932
Huile sur toile, 146,2 × 114,6 cm
Collection particulière

55. PAUL DELVAUX
Femme au miroir, 1936
Huile sur toile, 71 × 91,5 cm
Coll. Thyssen Bornemisza, Madrid

Paul Delvaux, contrairement
à son compatriote Magritte,
n'a adopté une peinture surréaliste
que très tardivement, au début
des années 30. Son surréalisme
personnel se fonde sur une
thématique particulière
dans laquelle se conjuguent
un nombre limité de signes :
femmes nues, enfants, trains
et gares, miroirs...
« Le miroir, écrit Jacques Sojcher,
est un objet privilégié du rituel,
un jouet magique,
un transfigurateur de la femme
en reine du jour ou de la nuit.
Il arrête le temps... »

55

56

57. GIACOMETTI
Table surréaliste, 1933
Bronze, 143 x 103 x 43 cm
Musée national d'art moderne, Paris

« Depuis des années, commenta
Giacometti en 1934, je n'ai réalisé
que des sculptures qui se sont
offertes tout achevées à mon esprit,
je me suis borné à les reproduire
dans l'espace sans y rien changer. »

56. PAUL DELVAUX
Solitude, 1955
Huile sur panneau, 99,5 × 124 cm
Musée des Beaux-Arts, Mons

57

Le *Manifeste du surréalisme* de 1924 annonçait clairement une volonté révolutionnaire de s'étendre non seulement à tous les domaines de l'art, mais à la société elle-même. Il comptait de ce fait sur un prolongement international de son action. Très vite en effet, son influence se fera sentir dans tout le monde occidental et au-delà puisque des groupes surréalistes continueront de se constituer au fil des années jusqu'au Japon et en Amérique latine.

Après celui de Paris, un groupe surréaliste s'est formé à Bruxelles en 1926-1927 autour des poètes Paul Nougé, Marcel Lecomte et de René Magritte.

Au-delà de cette zone d'influence française, d'autres groupes plus ou moins constitués apparaîtront comme en Espagne avec des créateurs aussi prestigieux que les Catalans Miró et Dali, mais aussi bien d'autres comme Remedios Varo et le Canarien Dominguez, les poètes Federico Garcia Lorca, Rafael Alberti, Vicente Aleixandre, Luis Cernuda, et le cinéaste Luis Buñuel. Plus proche de l'obédience parisienne, un groupe s'est formé en Tchécoslovaquie avec le poète Viatcheslav Nezval, le peintre et collagiste Jindrych Styrsky et surtout Toyen, artiste très inventive. En Roumanie comme en Yougoslavie, le surréalisme s'est essentiellement exprimé à travers la littérature, mais compta aussi un petit nombre d'artistes étonnants comme Victor Brauner, Jacques Herold, Jules Perahim.

Au cours des années trente, la plupart des pays européens seront concernés, depuis l'Angleterre – ou Roland Penrose organisa une grande exposition collective –, avec notamment Paul Nash, jusqu'aux pays scandinaves et même germaniques malgré leur situation politique qui ne semblait guère propice à l'expression d'un tel message de liberté, avec l'Allemand Hans Bellmer, l'Autrichien Wolfgang Paalen, le Suisse Kurt Seligmann...

Le message surréaliste se fit entendre si loin et pendant si longtemps qu'il risqua de sombrer dans le poncif – toute production plastique un peu inattendue ou difficilement compréhensible étant trop rapidement désignée comme surréaliste. C'est sur le meilleur de sa production qu'il faut juger le surréalisme, à travers les œuvres des praticiens de la grande génération surréaliste comme le Mexicain Tamayo, le Cubain Wifredo Lam, le Chilien Roberto Matta... Avec eux, la faune et la flore surréalistes sont inépuisables.

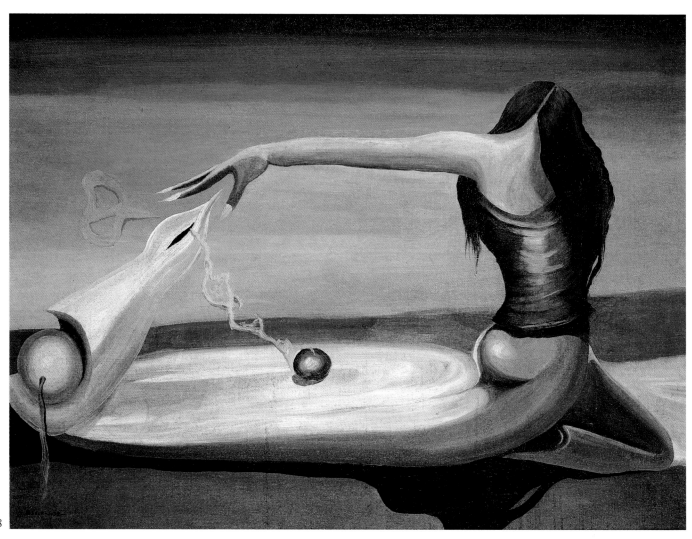

59

59. OSCAR DOMINGUEZ
Le pont, 1937
Décalcomanie en couleurs, 65 x 50 cm
Collection Excmo. Cabildo Insular de Tenerife

58. OSCAR DOMINGUEZ
La boule rouge, 1933
Huile sur toile, 63 x 82 cm
Collection Excmo. Cabildo Insular de Tenerife

60. RUFINO TAMAYO
Terreur cosmique, 1954
Huile sur toile, 106 × 76 cm
Museo de Arte Moderno, Mexico

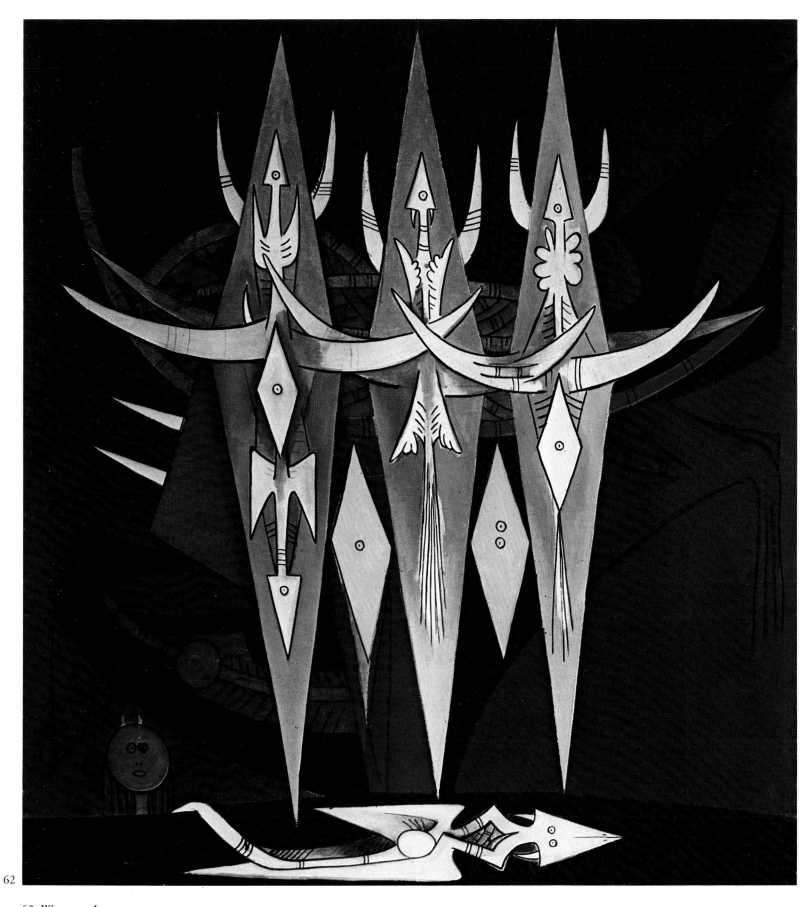

62

62. Wifredo Lam
Le seuil, 1950
Huile sur toile, 185 × 170 cm
Musée national d'art moderne, Paris

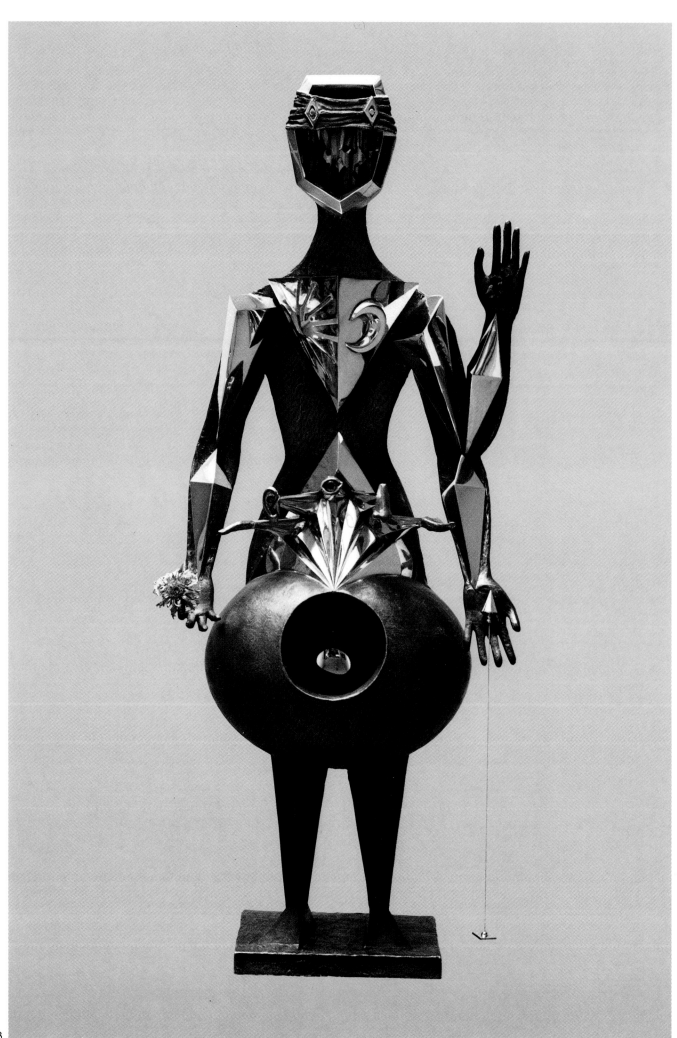

63. JACQUES HEROLD
Le grand transparent, 1946-1947
Bronze, 140 cm
Collection particulière

L'hypothèse des «grands transparents» fut émise par André Breton en 1942. C'est à de tels êtres hypothétiques que Jacques Hérold a, le premier, essayé de donner figure avec cette célèbre sculpture.

64. TOYEN :
Le mythe de la lumière, 1946
Huile sur toile, 160 x 75 cm
Moderna Museet, Stockholm

Philippe Soupault a ainsi défini la peinture de Toyen qu'il avait été l'un des premiers à découvrir : «Elle fonde son art sur l'énigme, la rêverie poétique, l'inquiétude, souvent surgies du trompe-l'œil.»

64

65. Victor Brauner
Le poisson à roulettes, 1965
Huile sur toile et bois peint, 170 × 93 cm
Musée de l'Abbaye Sainte-Croix,
Les Sables d'Olonne

65

66. Victor Brauner
Prélude à une civilisation, 1956
Huile sur toile, 130 × 195 cm
Musée de Grenoble

66

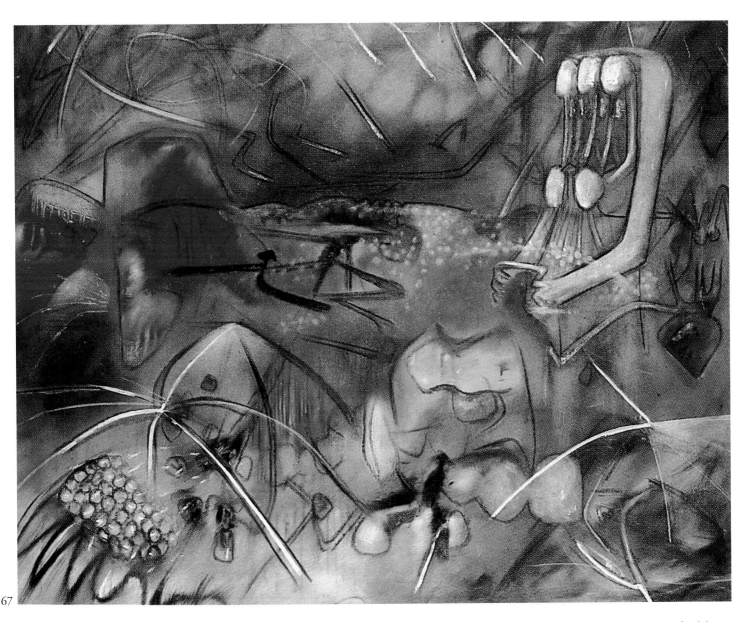

67

67. MATTA
I am the Door, 1954
Huile sur toile, 114 × 146 cm
Collection particulière

Matta et Brauner ont été de grands amis – il leur est même
arrivé de peindre conjointement sur les mêmes tableaux.
Alors que Brauner renvoie à un monde ésotérique ou alchimique,
Matta lance plutôt notre imagination en pleine
science-fiction, une peinture-fiction très stimulante.

ŒUVRES REPRODUITES

Les numéros des illustrations sont indiqués en gras et entre crochets

ARP, Hans
Selon les lois du hasard, 1916
Collage, 26 × 12,5 cm
Kunstmuseum, Bâle **[7]**

Masque d'oiseau, 1918
Bois naturel, 19 × 23 cm
Fondation Arp, Clamart **[8]**

Fruit d'une main, 1927-1928
Bois peint, 55 × 88 × 20 cm
Kunsthaus, Zurich **[31]**

Homme, moustache et nombril, 1928
Aquarelle, 64 × 63,8 cm
Fondation Arp, Clamart **[30]**

Collage de Grasse, 1941-1942
Photo déchirée et gouache,
34,5 × 24,5 cm
Fondation Arp, Clamart **[32]**

Nu aux bourgeons, 1961
Bronze, 188 × 32 × 30,5 cm
Galerie Denise René **[33]**

BRAUNER, Victor
Prélude à une civilisation, 1956
Huile sur toile, 130 × 195 cm
Musée de Grenoble **[66]**

Le poisson à roulettes, 1965
Huile sur toile et bois peint, 170 × 93 cm
Musée de l'Abbaye Sainte-Croix,
Les Sables d'Olonne **[65]**

DALI, Salvador
Senicitas, 1926-1927
Huile sur bois, 63 × 47 cm
Museo Espanol de Arte Contemporaneo,
Madrid **[40]**

Portrait de Paul Eluard, 1929
Huile sur carton, 33 × 25 cm
Coll. particulière **[41]**

Spectre de l'après-midi, 1930
Huile sur toile, 46 × 54 cm
San Diego Museum of Art,
San Diego **[43]**

Méditation sur la harpe, 1932-1934
Huile sur toile, 67 × 47 cm
Musée Dali de Saint Petersbourg,
Floride **[42]**

Le sommeil, 1937
Huile sur toile, 50 × 77 cm
Coll. Edward F.W. James, Sussex **[44]**

DE CHIRICO, Giorgio
Le cerveau de l'enfant, 1914
Huile sur toile, 80 × 63 cm
Moderna Museet, Stockholm **[1]**

La famille du peintre, 1926
Huile sur toile, 146,5 × 115 cm
Tate Gallery, Londres **[51]**

DELVAUX, Paul
Femme au miroir, 1936
Huile sur toile, 71 × 91,5 cm
Coll. Thyssen Bornemisza, Madrid **[55]**

Solitude, 1955
Huile sur panneau, 99,5 × 124 cm
Musée des Beaux-Arts, Mons **[56]**

DOMINGUEZ, Oscar
La boule rouge, 1933
Huile sur toile, 63 × 82 cm
Collection Excmo. Cabildo Insular
de Tenerife **[58]**

Le pont, 1937
Décalcomanie en couleurs, 65 × 50 cm
Collection Excmo. Cabildo Insular
de Tenerife **[59]**

DUCHAMP, Marcel
Mariée, 1912
Huile sur toile, 59,4 × 54 cm
The Museum of Modern Art, New York **[2]**

*La mariée mise à nu par ses célibataires,
même,* 1923
Huile, feuille de plomb, fil de plomb,
poussière et vernis sur deux plaques
de verre (brisées) montées
entre deux autres plaques de verre
et un cadre en bois et acier,
272,5 × 175,8 cm
Philadelphia Museum of Art,
Collection Louise et Walter Arensberg **[3]**

ERNST, Max
Aquis submersus, 1919
Huile sur toile, 54 × 43,8 cm
Coll. Roland Penrose, Londres **[10]**

Frau Wirtin, v. 1920
Collage avec gouache et aquarelle sur papier,
25 × 31,5 cm
Coll. part. Stuttgart, prêt permanent
à la Staatgalerie, Stuttgart **[9]**

Sans titre, 1925
Frottage, crayon sur papier
43,2 × 25,8 cm
Collection particulière **[11]**

Deux soeurs, 1926
Huile sur toile et frottage à la mine
de plomb, 100,3 × 73 cm
Fondation de Menil, Houston **[12]**

Fleurs de coquillages, 1929
Huile sur toile, 129 × 129 cm
Musée national d'art moderne, Paris **[13]**

Collage pour Une semaine de bonté,
19,2 × 13,5 cm 1934 **[15]**

Barbares marchant vers l'ouest, 1935
Huile sur papier, 24 × 32 cm
Coll. particulière, New York **[14]**

GIACOMETTI, Alberto
Table surréaliste, 1933
Bronze, 143 × 103 × 43 cm
Musée national d'art moderne, Paris **[57]**

HEROLD, Jacques
Le grand transparent, 1946-1947
Bronze, 140 cm
Collection particulière **[63]**

LAM, Wifredo
Le seuil, 1950
Huile sur toile, 185 × 170 cm
Musée national d'art moderne, Paris **[62]**

MAGRITTE, René
L'oasis, 1925-1927
Huile sur toile, 75 × 65 cm
Coll. Mme J. Van Parys, Bruxelles **[45]**

Passiflore, 1936
Huile sur toile, 45 × 55 cm
Coll. M. et Mme Louis Scutenaire,
Bruxelles **[46]**

Méditation, 1937
Huile sur toile, 34 × 39 cm
Coll. Fondation Adward James,
Chichester, Sussex **[47]**

Les marches de l'été, 1938
Huile sur toile, 60 × 73 cm
Collection particulière, Paris **[48]**

Le prêtre marié, 1950
Huile sur toile, 46 × 58 cm
Collection René Magritte,
Bruxelles **[49]**

Un peu de l'âme des bandits, 1960
Huile sur toile, 65 × 50 cm
Coll. particulière **[50]**

MAN RAY
L'énigme d'Isidore Ducasse, 1920
Publié dans *La révolution surréaliste* n° 1,
1er décembre 1924 [5]

Sans titre, 1938
Dessin à la pointe d'argent
Ancienne collection Penrose [35]
Cactus, 1946
Huile sur toile
Ancienne collection Penrose [34]

Autoportrait solarisé, 1934
Musée national d'art moderne, Paris [36]

MASSON, André
Les quatre éléments, 1923-1924
Huile sur toile, 73 × 60 cm
Musée national d'art moderne, Paris [21]

L'armure, 1925
Huile sur toile, 81 × 54 cm
The Peggy Guggenheim Foundation,
Venise [22]

Chevaux morts, 1927
Huile et sable sur toile, 46 × 55 cm
Musée national d'art moderne,
Paris [23]

Les moissonneurs andalous, 1935
Huile sur toile, 89 × 116 cm
Galerie Louise Leiris, Paris [24]

Enchevêtrements, 1941
Tempera et sable sur bristol, 41 × 32 cm
Musée national d'art moderne,
Paris [25]

Nuits fertiles, 1960
Tempera et huile sur toile, 114 × 146 cm
Collection particulière [26]

MATTA
I am the door, 1954
Huile sur toile, 114 × 146 cm
Collection particulière [67]

MIRÓ, Joan
La fermière, 1922-1923
Huile sur toile, 81 × 65 cm
Coll. Mme Duchamp, Fontainebleau [16]

Portrait de Madame K., 1924
Huile sur toile, 115 × 89 cm
Coll. M. René Gaffé, Cannes [17]

Nature morte au vieux soulier, 1937
Huile sur toile, 81 × 116 cm
The Museum of Modern Art,
New York [18]

Le réveil au petit jour, 1941
Gouache et peinture sur papier,
46 × 38 cm
Coll. Mr and Mrs. Ralph F. Colin,
New York [19]

Femme et oiseaux, 1968
Huile sur toile, 195 × 130 cm
Fondation Joan Miró, Barcelone [20]

PAALEN, Wolfgang
Aérogyl bleu, 1944
Huile sur toile, 120 × 37 cm
Collection particulière [61]

PAPAZOFF, Georges
Chiens de cirque, 1930
Huile sur toile, 73 × 100 cm
Coll. Oscar Ghez [53]

PICABIA, Francis
Prenez garde à la peinture, 1917
Huile, émail et peinture métallisée sur toile,
91 × 73 cm
Moderna Museet, Stockholm [4]

Les Tropiques, vers 1924-1926
Ripolin sur carton, 105,5 × 75,5 cm [27]

Plumes, vers 1925
Collage de plumes, macaronis, roseaux,
morceaux de bois et emplâtres pour cors
aux pieds sur toile, 119 × 78 cm [29]

Psi, 1930
Huile sur toile, 100 × 81 cm [28]

PICASSO, Pablo
Baigneuse jouant au ballon, 1932
Huile sur toile, 146,2 × 114,6 cm
Collection particulière [54]

ROY, Pierre
Adrienne pêcheuse, 1919
Huile sur toile, 52 × 35 cm
Musée des Beaux-Arts de Nantes [52]

SCHWITTERS, Kurt
Miroir-collage, 1920-1922
Huile, plâtre, collage d'objets divers
sur miroir, hauteur 28,5 cm
Musée d'Art moderne de la ville de Paris [6]

TAMAYO, Rufino
Terreur cosmique, 1954
Huile sur toile, 106 × 76 cm
Museo de Arte Moderno, Mexico [60]

TANGUY, Yves
Sans titre, 1927
Huile sur toile, 61 × 50 cm
Collection particulière, Paris [frontispice]

Le jardin sombre, 1928
Huile sur toile, 91,4 × 71,1 cm
Kunstsammlung Nordrhein-Westfalen
Düsseldorf [38]

Jour de lenteur, 1937
Huile sur toile, 92 × 73 cm
Musée national d'art moderne, Paris [37]

Le palais aux rochers de fenêtres, 1942
Huile sur toile, 163 × 132 cm
Musée national d'art moderne, Paris [39]

TOYEN
Le mythe de la lumière, 1946
Huile sur toile, 160 × 75 cm
Moderna Museet, Stockholm [64]

CHRONOLOGIE SUCCINCTE

1916 — Tristan Tzara lance le premier manifeste dada à Zurich.

1917 — André Breton, Philippe Soupault et Louis Aragon se rencontrent auprès de Guillaume Apollinaire.

1919 — Breton et Soupault écrivent le premier livre surréaliste : *Les champs magnétiques*, en écriture automatique.

1920-1922 — Manifestations dada à Paris.

1921 — Première exposition Max Ernst à Paris.

1924 — Breton publie le *Manifeste du surréalisme*

1925 — Première exposition surréaliste d'Arp à Roy, Galerie Pierre à Paris.

1928 — Constitution du groupe surréaliste belge : Magritte, Nougé, Lecomte…

1929 — Le second manifeste du surréalisme relance le mouvement. Les nouveaux adhérents sont Buñuel, Dali et Char.

1935 — Première Exposition internationale du surréalisme à Tenerife.

1936 — Exposition internationale du surréalisme à Londres.

1940 — Avec la débâcle, les surréalistes se cachent, regagnent leur pays natal comme Miró à Majorque, ou fuient aux Etats-Unis comme Masson, Tanguy, Seligmann, ou encore au Mexique comme Péret, Paalen, Varo… Ils ne reviendront qu'après la guerre.

1947 — «Le surréalisme en 1947» : exposition à la Galerie Maeght à Paris.

1959 — Exposition internationale du surréalisme organisée par Duchamp et Breton, Galerie Cordier à Paris.

SOURCES DES CITATIONS

Louis Aragon, *Les collages*, Hermann, 1965

Louis Aragon, *Œuvre poétique II*, Messidor, 1974

André Breton, *Le surréalisme et la peinture*, Gallimard, 1965

Serge Fauchereau, *Arp*, Albin Michel, 1988

Alberto Giacometti, *Minotaure*, n° 3, 1934

René Magritte, *Écrits complets*, Flammarion, 1979

Bernard Noël, *André Masson*, Gallimard, 1993

Louis Scutenaire, *Avec Magritte*, Éd. Lebeer Hassmann, Bruxelles, 1977

Jacques Sojcher, *Paul Delvaux*, Cercle d'Art, 1991

Philippe Soupault, *Collection Fantôme*, Galerie de Seine, 1973

Achevé d'imprimer le deuxième trimestre
deux mille deux sur les presses
de l'imprimerie Grafiche Milani, à Segrate, Milan, Italie